El hombre con
el pelo revuelto

© Del texto: Daniel Nesquens, 2010
© De las ilustraciones: Emilio Urberuaga, 2010
© De esta edición: Grupo Anaya, S.A., 2010
Juan Ignacio Luca de Tena, 15. 28027 Madrid
www.anayainfantilyjuvenil.com
e-mail: anayainfantilyjuvenil@anaya.es

Primera edición, abril 2010
Tercera impresión, marzo 2012

ISBN: 978-84-667-9255-4
Depósito legal: Bi. 1346/2010

Impreso en Grafo, S. A.
Avda. Cervantes, 51
48970 Basauri (Vizcaya)
Impreso en España - Printed in Spain

Las normas ortográficas seguidas en este libro
son las establecidas por la Real Academia Española
en su edición de la *Ortografía* del año 1999.

EL HOMBRE CON EL PELO REVUELTO

Daniel Nesquens

**Ilustraciones
de Emilio Urberuaga**

**VII PREMIO ANAYA
DE LITERATURA
INFANTIL Y JUVENIL**

Ayer me ocurrió algo que me hizo retroceder en el tiempo. Ayer me pareció ver a mi tío Fermín.

Acabé mi última clase del día, bajé las escaleras, me detuve en el tablón de anuncios para leer una nota que algún estudiante había escrito en portugués y salí a la calle. Ya se notaba algo de fresquito, casi apetecía una chaqueta. Atravesé la plaza de san Francisco y me encaminé al quiosco de prensa que hace esquina. Entonces, fue cuando lo vi, de espaldas, hojeando del revés un periódico extranjero. Mi tío hacía cosas más raras.

¿Cuánto tiempo había pasado desde la última vez que escuché su última historia? ¿Catorce, quince años?

Me acerqué, casi con miedo de que pudiese oír mis pasos. A menos de dos metros. A un metro. «¿Tío Fermín?», dije, o le pregunté.

El tipo se giró lentamente, con cierto suspense. De espaldas, de perfil, hubiese jurado que era él, pero no. Mi gozo en un pozo.

Debí de quedarme completamente paralizado, sin saber qué hacer, porque el tipo aquel me preguntó con un acento extranjero que tiraba para atrás si me ocurría algo.

«No, nada. *Excuse me*. Le he confundido con otra persona, con mi tío Fermín».

El tipo extranjero se encogió de hombros, cerró el periódico, lo dejó en el revistero metálico donde figura la prensa internacional, dio media vuelta y se marchó avenida arriba hasta confundirse con el resto de la gente. No sé por qué, cogí el periódico, lo pagué y me lo llevé a casa. Primero algo triste y luego contento por tener de nuevo en mi cabeza su figura.

¿Que quién era mi tío Fermín? Mi tío era una incógnita en un problema de matemáticas, como «X», como «Y»... Una incógnita muy especial. Una incógnita a la que le tenía mucho mucho cariño.

1

El día que nació mi tío Fermín debió de amanecer como otro día cualquiera. Salió el sol, la gente se levantó para ir a las fábricas, al campo; los niños, para acudir a la escuela... Un día como otro cualquiera, ya digo.

Yo no estaba allí para verlo. Yo aún no había nacido y no sé si, además, por ejemplo, en Bérgamo, un señor muy feo había desayunado once manzanas starking, doce pavías, trece paraguayos. O si en Innsbruck, una señora alta, de larga melena, de cutis pálido, un poco pecoso, había puesto la mesa con todo el esmero del mundo con pan de Viena, huevos semihervidos, mantequilla, mermelada, miel, zumo de frutas, chocolate caliente... No lo sé.

Tampoco sé si en la inmensidad de la Siberia de leyenda, el día que nació mi tío Fermín, un zorro blanco se proponía dar caza a una liebre. Sé que en la Siberia central está el lago de agua dulce más grande, antiguo y profundo del mundo: el lago Baikal. Sé que el único mamífero que vive en el lago es la *Phoca sibirica* o foca de Baikal.

También sé que mi tío Fermín aparecía y desaparecía; que sus apariciones eran mucho más sorprendentes que las de Papá Noel o las de los propios Reyes Magos de Oriente.

Sé que mi tío nació en una primavera colmada de flores y de pájaros en la que el hombre todavía no había pisado la Luna; que se llama así porque su abuelo se llamaba así; que no estaba casado; que no tenía hijos; que sus pies eran muy largos... Y sé que cuando viene a casa, viene sin avisar. O venía. Porque ya no viene. Dejó de hacerlo sin razón aparente. Ni una carta de despedida, ni una llamada. Nada. Desapareció sin dejar rastro. Me pregunto si se lo habrá tragado la tierra. Seguro que, además, ha perdido la copia que le hizo papá de las llaves de casa.

Ha pasado mucho tiempo desde su última visita. Ahora todos nos hemos hecho mayores: el señor feísimo de Bérgamo, la señora de Innsbruck, el zorro blanco, la foca de Baikal, mi tío, mi padre, mi madre... incluso yo. Yo ya

estoy a punto de acabar mis estudios en la Universidad, sí. Pero, todavía, me sigue quedando el recuerdo de alguna que otra fotografía en la que siempre aparece medio escondido, de sus visitas, de sus pisadas ágiles, de su sonrisa eterna, de sus palabras, de sus historias donde siempre era él el protagonista. Ahora que lo pienso: tal vez había una fuerza invisible que lo atraía hacia nuestra casa y le hacía descargar todas aquellas historias reales o inventadas, divertidas, llenas de sorpresas. Sí, todavía me acuerdo.

2

—A ti, ¿qué animal te gusta más? —me preguntó mi tío.

Estaba recogiendo la manguera del jardín, enrollándola alrededor de su hombro y sujetándola con la mano. Acabábamos de regar los crisantemos, los geranios, las lilas, las gardenias, el césped y a algunas hormigas que paseaban distraídas por allí.

—¿De cuántas patas? —le contesté.

—Da igual el número de patas. Da igual que sean vertebrados o invertebrados; mamíferos carnívoros o mamíferos herbívoros; terrestres o marinos; domésticos o no domésticos; inmundos o limpios...

—Es que hay muchos animales —me quejé.

—Tienes tres minutos y tres segundos.

—Me sobran los tres minutos —le dije de improviso. En algún lugar de mi cerebro había localizado, en décimas de segundo, mi animal favorito—: ¡El emú!

—¿El emú? Nunca había oído ese nombre. ¿No te lo habrás inventado?

—¡Qué dices! Un día Javier Marro, un amigo del colegio, trajo a clase una foto de un emú que él mismo había hecho en el zoológico de no sé qué ciudad. Vive en las praderas de Australia...

—¿Tu amigo Javier?

—¡No, hombre! El emú. Es como...

—No sigas. Sé de qué animal me estás hablando. Se trata de un ave corredora, pero que no vuela, como el avestruz, como el ñandú.

—Algo así —dije.

Mi tío resopló y colocó la manguera en su sitio. Todavía goteaba algo de agua por una de las bocas.

—Siéntate aquí conmigo —me dijo ofreciéndome una de las sillas de plástico blancas, algo sucias por haber estado todo el otoño allí—. También era un ave la paloma que todas las mañanas se posaba en la ventana de mi habitación. Todos los días golpeaba con el pico el cristal y se me quedaba mirando. Yo me desperezaba en la cama. Y ella: «toc-toc-toc, toc-toc-toc»... Le arrojaba mi cojín relleno de plumas de emú y la paloma levantaba el vuelo. Volaba, se perdía en el cielo, pero a los dos minutos estaba otra vez golpeando el cristal con el pico: «toc-toc-toc, toc-toc-toc»... Pensé incluso en comprarme una escopeta y acabar de una vez por todas con aquel animal. Pero por un momento me imaginé que se trataba del mismísimo palomo de Belkis...

—¿Belkis? ¿El delantero del Manchester United? —le pregunté extrañado.

—Qué delantero, ni qué ocho cuartos. El asno de la reina de Saba, la ballena que se tragó a Jonás, la hormiga de Salomón... son animales que según los antiguos pueblos árabes deben acceder al paraíso.

—¡Ah, ya lo entiendo! Son animales mitológicos.

—Más o menos.

—Como el grifo.

—¡Qué le pasa al grifo! —dijo mi tío girando la cabeza, buscando un supuesto charco en el suelo, junto a la manguera—. No me digas que me lo he dejado abierto.

Debí de poner una cara muy rara, porque mi tío alzó las cejas y abrió los ojos desmesuradamente en señal de extrañeza. Cruzó los brazos sobre el pecho como si tuviera frío y esperó mi aclaración:

—Me refiero al grifo animal mitológico. Mitad águila, mitad león.

—Haberlo dicho antes. Ya sé a qué animal fabuloso te refieres. Los antiguos creían que eran los guardianes de los templos.

—Exacto —dije, sin saber muy bien si lo que decía mi tío era verdad o no.

—Pues como te decía. El caso es que, aburrido ya de aquel toc-toc-toc sordo que se me metía por los oídos, me levanté de un salto y abrí la ventana. La paloma ni se inmutó. Me miró a los ojos y yo a sus patas. Me fijé en que llevaba una anilla. La paloma levantó el vuelo y pasó dentro. Salió de la habitación, atravesó el pasillo y entró en la cocina. Lo hizo sin desviarse un milímetro, como si tuviese memorizado el plano de aquel piso. Se detuvo encima de la mesa de la cocina, picoteó unas migas de pan ya duro que habían quedado de la cena de la noche anterior y comenzó a cambiar de color. Cada vez más pálida.

Mi tío arrugó la nariz. Se detuvo una décima de segundo y miró hacia donde estaba enrollada la manguera.

—¿Y? —le pregunté.

—Se solidificó. Si es que se puede considerar a una paloma un líquido. Se convirtió en puro mármol. Me acerqué y le quité la anilla que llevaba en la pata izquierda. La anilla no se había solidificado. En su interior había algo escrito. A duras penas lo leí. «Dentro de tres minutos y tres segundos pondré un huevo». ¿Qué clase de broma era aquella? Tomé la paloma en mi mano: sólida. La zarandeé como si fuese una hucha, la dejé caer sobre el suelo... Nada. Ni una astilla. La recogí y la coloqué sobre la mesa. Me senté en la banqueta y esperé. Y esperé. Tres, dos, uno, cero. Un huevo salió de la paloma poco a poco y cayó sobre la mesa. Era blanco con pintas grises y marrones. Parecía recién barnizado. Cogí el huevo entre mis dedos: estaba todavía caliente. Comenzó a resquebrajarse. Cada vez más. El huevo se partió en dos mitades simétricas, idénticas... Un cilindro metálico poco más grande que la falange de mi dedo quedó a la vista. Lo agité entre mis dedos y la paloma recuperó los colores vistosos de sus plumas. Recobró la vida. Resucitó. Aleteó sin levantar el vuelo, dio unos pasos, se acercó al cilindro y me lo arrebató de entre los dedos. Lo agarró entre su mandíbula superior e inferior, lo acercó al borde de la mesa y lo dejó caer. El cilindro se desvaneció y una hoja, tamaño cuartilla, cayó suavemente

sobre el suelo de la cocina, como una pluma. La cogí antes de que impactase con el suelo. Entonces, la paloma desapareció por donde había venido. Ya no la volví a ver. Toma —me dijo mi tío.

Se metió la mano en el bolsillo y sacó una hoja doblada.

La desdoblé y leí:

D2B2R31S 3R 1 V2R 1 T5 S4BR3N4. H1N P1S1D4 M5CH4S D31S D2SD2 L1 5LT3M1 V3S3T1. 2L M1NZ1N4 D2L J1RD3N Y1 H1BR1 FL4R2C3D4.

Lo tuve que leer otra vez para darme cuenta del secreto que encerraba el mensaje.

—¿Por eso estás aquí? —le pregunté.

Me miró pasmado, como si fuésemos dos desconocidos, como si no comprendiese bien mi pregunta.

—Y por más cosas. Pero tendrás que esperar a mañana.

Y mi tío cerró los párpados lentamente, como si aquel recuerdo le hubiese agotado.

3

—Mira, allí comienza el universo —me dijo mi tío a la mañana siguiente, señalando a través de la ventana. El aire estaba cargado de humedad y no se oía ni un pájaro.

—¿Allí? —le pregunté apuntando con el dedo.

—No, un poco más a la derecha —me contestó.

—¿Y tú cómo lo sabes?

—Lo sé y punto.

—¿Acaso has estado allí? —le pregunté.

—Sí, no. No te puedo mentir: no he estado allí. Pero mi amigo Emmerling sí que ha estado.

—¿Era astronauta?

—Casi. Era capaz de caminar hacia delante mientras miraba hacia atrás. Como lo oyes.

—¿Por el espacio?

—Por el espacio sideral y por el pasillo de su casa. Su cabeza giraba 180 grados.

—¡180 grados! Eso es imposible.

—¿Imposible? Deberían eliminar esa palabra de los diccionarios. Nada es imposible, excepto la muerte. Emmerling era capaz. Menudo era. Se le metía una cosa en la cabeza, esa que giraba 180 grados, y ya no había quien se la quitara de dentro. Ganó una apuesta a un cosmonauta ruso. A un tal Roman Romanenko. ¿Tú sabías que el primer ser vivo en el espacio fue una perra? Laika se llamaba. Al parecer, se trataba de un perro abandonado en las calles de Moscú. La antigua Unión Soviética la puso en órbita una mañana de otoño. A lo que iba: si mi amigo Emmerling era capaz de girar la cabeza tal y como él aseguraba, el astronauta le hacía un hueco en la nave espacial que estaba apunto de partir; creo que se trataba de la Soyuz 14, o 15, no me acuerdo muy bien. Estuvieron 178 días en el espacio, o 179. Cuando la nave regresó a la Tierra, mi amigo Emmerling era incapaz de dormir por la noche, así que salía a la calle y miraba a las estrellas como si aquella fuese la última vez. «Cerca de aquella estrella he estado yo. Se trata de la primera estrella de la constelación

Orión. Es blanca y con una cola azul celeste. Brilla más al natural, y es muy veloz. Cualquier día pasa rozando la Tierra. Y allí, justo allí, comienza el universo. Si lo sabré yo», decía a quien quería escucharle.

—Y tu amigo ese, ¿pisó la Luna? —le pregunté a mi tío.

—No, creo que no. Para mí que lo que pisó fue una cáscara de plátano. Se cayó y se golpeó violentamente con la cabeza en el suelo. Por eso era capaz de girarla. Otra explicación no tiene. Tendrías que haberlo visto.

—¿Tú lo viste girar la cabeza?

—Sí, no. No. No te puedo mentir: no lo vi. Cuando lo conocí, ya era bastante mayor. Paseaba con su nieto por el parque, pero el nieto no podía mover la cabeza como su abuelo, solo podía mover el pie derecho. Eso sí, también 180 grados. Me contó que los médicos le habían aconsejado que dejase de darle más vueltas a la cabeza. Si seguía con aquel juego, la cabeza se le desenroscaría del tronco, como una tuerca se desenrosca de un perno. Y adiós cabeza. Además del consiguiente daño de la médula espinal… Según me contó, estuvo actuando una temporada en un circo americano que tenía de todo; hasta un dragón de Komodo experto en descubrir melodías misteriosas. Mi amigo Emmerling vivía en un carromato de madera, entre las gentes del circo. Allí conoció a su mujer…

—Su mujer también movía algo, ¿a que sí? —le interrumpí.

—Pues algo movería. La pierna o algún brazo. No lo sé. Igual se trataba de la mujer barbuda, o la mujer araña, o la mujer serpiente…

—O la mujer lobo…

—¿La mujer lobo? ¡No existe la mujer lobo!

—Cómo no va a existir, tío. Si hay un hombre lobo, tiene que haber una mujer…

—Bueno, a lo que iba que me despistas. Emmerling actuaba en aquel circo que había dado no sé cuántas veces la vuelta al mundo. Pero, lo que son las cosas, prescindieron de sus servicios. De un día para otro. El director del circo lo citó en su *roulotte* y le dijo muy serio que los padres no hacían otra cosa que quejarse y quejarse. Al parecer, los chiquillos lo imitaban, lo parodiaban, con las consabidas fracturas de cuello. Lo acabaron despidiendo. Cuando estuve en su casa, me enseñó un gran afiche en el que se podía ver la cabeza de

Emmerling girada completamente, y en la parte inferior, destacando, en letras mayúsculas: *THE MAN WITH THE REVOLVING HEAD.*

—Que significa…

—El hombre con el pelo revuelto.

—¿El pelo? Pelo es *hair*. Cabeza es *head* —le reproché a mi tío, orgulloso de mis escasos conocimientos del idioma inglés.

—Pues eso. Mi amigo Emmerling también me contó que lo habían contratado para actuar en una película, pero… pero…

—¿Pero qué?

—Pues que eso… eso no me lo creo —dijo. Cerró los ojos y se masajeó las sienes. Miró hacia la puerta y salió de mi habitación con pasos rápidos.

—¿Adónde vas, tío?

—Me acabo de acordar de una cosa. Vuelvo pronto.

Pero tuvieron que pasar unos cuantos meses para que volviese a escuchar sus palabras.

4

La cabeza de mi tío Fermín no giraba 180 grados. Imagino que giraba lo que gira una cabeza normal. Por fuera tenía de todo lo que hay que tener. Sus ojos, sus cejas con pelos que se le disparaban como ballestas, su nariz con las aletas que se hinchaban y se deshinchaban cuando respiraba, sus orejas de soplillo, su boca algo torcida, su mentón, su pelo cortado siempre a navaja… Por dentro… por dentro nunca se la vi. Y eso que un día me animó a que me asomase por una de sus orejas. «Si te fijas bien, podrás ver el reflejo de mi último pensamiento. No te asustes cuando lo veas», me dijo. Me asomé pero no vi nada de nada. Ni el último pensamiento, ni el cerebro, ni el cerebelo, ni el lóbulo frontal, ni el Lobo Feroz, ni Caperucita…

Cierto día, mi tío Fermín asomó por la puerta con un sombrero en la cabeza. Estábamos todos en casa. Pero el único sorprendido por su aparición, al parecer, fui yo.

El sombrero era de fieltro alisado tipo Indiana Jones, de color café, con una cinta de piel de serpiente de cascabel que rodeaba la copa.

Se lo quitó y lo arrojó sobre el perchero. A lo que iba a llegar al gancho de la percha, el sombrero dio media vuelta y regresó a la mano de mi tío.

—Se llama Mac. Solo tres letras —dijo mi tío.

—¿Quién? —pregunté como un tonto.

—¿Quién va a ser?, el sombrero. Lo compré a un aborigen de la tribu de los Githabul.

—¿Y por qué va hasta la percha y luego vuelve? —le pregunté.

—Porque es aborigen. Aborigen de Australia, en Oceanía —me contestó sonriendo.

—¡Aaaah! —dije.

—Lo compré sin la cinta. La cinta se la puse posteriormente, algunas semanas después. Yo mismo acabé con aquella serpiente. Era de larga como de aquí a Nueva Gales del Sur…

—¡Exagerado! —le dije.

—Bueno, igual era a Nueva Gales del Norte. El caso es que la atrapé con mis propias manos. Estas manos que estás viendo.

—¿Y cómo fue aquello, tío?

—Recuerdo que me estaba mordisqueando el labio inferior. Holgazaneaba en mi casa, tan ricamente. En la radio sonaba *Oh, Mandy* de Barry Manilow…

I see a memory
I never realized
How happy you made me…

—No hace falta que nos cantes —le gritó mi padre desde algún lugar de la casa—. Cantas fatal, Fermín.

—Que canto fatal, que canto fatal… Habrase visto cosa igual. Tú sí que cantas fatal. Todavía me acuerdo el día que saliste a cantar el himno del colegio con aquella corbata de lazo ridícula. El cielo, totalmente despejado hasta ese momento, se llenó de nubes. En una décima de segundo comenzó a llover y llover… Aquello fue el diluvio universal. Me dio la impresión de ver un enorme cetáceo sobre el campo de fútbol. Justo en el centro del campo. Escorado a la derecha. Un barco ballenero salido de los astilleros de la ciudad de Dundee perseguía a la balle…

—Ahab se llamaba el capitán. Y la ballena, Moby Dick. Anda, sigue con lo de la serpiente. Resulta que la habías atrapado con tus propias manos —le dijo mi padre desde el vano de la puerta, irresistiblemente atraído por sus palabras.

Mi tío suspiró y siguió sin darle mayor importancia al comentario de mi padre.

—Seguro que una de las ventanas de la casa se había quedado abierta. Eran de esas de guillotina, de corte horizontal. Se debió de meter por ahí. Sonaba la música y no escuché el cascabel.

—¿Qué cascabel? —pregunté.

—¿Qué cascabel va a ser? El de la serpiente. La serpiente de cascabel —me contestó algo enfadado, frunciendo el entrecejo.

—¡Aaah!

—Tenía el cuerpo delgado y compacto. Era verdosa con manchas oscuras por los laterales. En la punta de la cola, su característico cascabel. Primero se comió el sombrero que estaba en el suelo; luego se tragó la radio. Adiós canción. Avanzó y se me comió a mí. ¡Ñam! Visto y no visto. A lo que me di cuenta, estaba dentro de aquel agujero negro. Casi se podían tocar varios planetas todavía sin descubrir... Me he metido en un buen lío, pensé. Tu tío Fermín dentro de una serpiente de cascabel. Pero aquello no era lo peor. Lo peor era que había quedado con la chica más guapa de todo el pueblo, qué digo de todo el pueblo, de toda la provincia. Se llamaba Gerda, como la hija del gigante Gimer, como el asteroide descubierto en 1872. Un auténtico «bombón». Sí, no me mires así. Un nombre raro para una chica, pero sus padres habían querido que se llamase así. Había quedado con ella y no podía llegar tarde. Así que toqué en la pared de aquella serpiente. ¡Pom, pom!

»—¿Qué ocurre? —silbó la voz de la serpiente.

»—Tengo una cita —le grité.

»—Sabe... es usted un maleducado. ¿No le han enseñado en su casa a saludar? —me dijo.

»—Oh, sí, perdón. Buenas tardes, señora...

»—Señorita, si no le importa.

»—Buenas tardes, señorita. Es que tengo una cita y no quisiera llegar tarde.

»—No puedo hacer nada. No está en mi mano el que usted pueda salir —me contestó con voz áspera.

»—¡Cómo que no está en su mano! ¡Usted me ha tragado! No me ha dado opción.

»—Tenía hambre —se excusó.

»—Tenía hambre, tenía hambre… Eso no justifica nada. Suélteme. Es una orden.

»—Ja, ja, ja.

»—Si no me suelta me veré obligado a…

»—¿A qué?

»—A… a… a pegarle fuego.

»—Pero qué tontada acaba de decir. Soy ignífuga.

»—Pues por lo menos abra la boca —le pedí.

»—¿Para qué quiere que la abra? —me contestó.

»—Pues para que cuando llegue ella, pueda ver con sus propios ojos que estoy atrapado aquí dentro. No me gustaría quedar como un grosero. Es razonable, ¿no? Si acepta el trato, se puede quedar con la radio y con las miles de canciones que contiene, ¿de acuerdo?

»—Uuuuhm. No sé. Déjeme pensar. Qué tal si abro la boca y entra ella.

»—Trato hecho —le dije.

»—*Oquei* —me contestó.

—Y así, querido sobrino, fue cómo conseguí salir.

—No lo entiendo, tío. Si era la chica quien tenía que entrar...

—Por la boca, por la boca... La serpiente abrió la boca para que ella entrase, ¿vale? Pero yo lo aproveché para salir corriendo como quien huye del mismo diablo. ¿Lo entiendes ahora?

—Sí, pero...

—Pero ¿qué?

—¿Y el sombrero?

—¿Qué pasa ahora con el sombrero?

—¿Cómo salió?

—¡Ah! Eso... eso se lo tendrás que preguntar a él —me contestó frotándose las manos.

—Pero, tío, ¿cómo le voy a preguntar a un sombrero?

—Tú prueba a ver. Te recuerdo que es un sombrero muy muy especial. Inténtalo.

Y le pregunté:

—¿Cómo salió usted, señor sombrero? —le dije mirándole fijamente a los ojos, quiero decir, a la cinta que lo adornaba.

—Fue muy fácil. Me limité a seguir a tu tío —me respondió.

Me debí de quedar con la boca abierta, mirando aquella cinta de piel de serpiente que daba la vuelta a la copa. El cascabel quedaba, justo, en la parte posterior, en la nuca. Embobado.

—¿Y qué ocurrió con la chica? —le preguntó mi padre, que seguía escuchando atentamente.

Mi tío giró la cabeza.

—Incomprensiblemente, al verme salir de dentro de la serpiente, se quedó helada. Convertida en un bloque de hielo. Como lo estás oyendo. Ahora creo que vive en la región de la Laponia finesa. En la misma ciudad donde vive Papá Noel. Al parecer, un reno le lleva, entre los dientes, el periódico todas las mañana a la cama.

—Este hermano mío... —dijo mi padre, negando con la cabeza. Y se dio media vuelta.

5

Debía de tener siete años aquella vez que mi tío Fermín se presentó en casa, como siempre, por sorpresa. Papá estaba en uno de sus viajes de negocios y mamá leía una revista de moda a las que tanta afición tenía. Estábamos en la mesa de la cocina. Todavía olía a las tostadas que se me habían quemado. Afuera hacía mucho frío. Tal vez fue aquel el invierno más frío que he vivido, se congelaban hasta las pinzas de tender la ropa. El sol se había ocultado una semana antes y no pensaba salir. Una masa de nubes grises, rechonchas, amenazaban más nieve. Sonó el timbre, mamá dejó la revista sobre la mesa y salió a abrir. Yo detrás. Se trataba de mi tío Fermín, una máscara antigás le colgaba del cuello.

—¡Qué frío! Huele a tostadas quemadas —dijo a modo de saludo. Y se colocó la máscara «anti-olor-a-tostadas-carbonizadas».

—Hola, Fermín, pasa —dijo mi madre.

—Hola, tío —dije yo.

—¿Eszho eg tudotlo quie…?

—Tío, no te entiendo nada. Será mejor que te quites esa máscara —le pedí. Cosa que hizo inmediatamente.

—¿Eso es todo lo que se os ocurre decir? ¡Acabo de volver de la guerra y me recibís así! —nos dijo. Lanzó una rápida mirada y lo abarcó todo. Me cogió en brazos y me subió a pulso.

Mamá se encogió de hombros y miró las huellas de sus botas sobre el suelo de la cocina.

—¿En qué guerra has estado, tío? —le pregunté. Nuestros ojos estaban a la misma altura.

—En una.

—¿Y no te han matado?

—Por los pelos. Un obús me ha pasado rozando y llevo una bala aquí dentro. Toca, toca —me dijo, guiándome a un punto de su cuello.

Toqué y aquello estaba duro como una piedra, o como una bala para ser más preciso.

—Pero toca sin miedo. ¿Sientes la punta del proyectil?

—Jo, tío.

—Sí, estoy milagrosamente vivo, como lo oyes.

—¿Qué eras, el general de brigada, el general de división, el mariscal de campo...? —le preguntó mi madre, atenta a nuestras palabras. Mi tío negó con la cabeza.

—Nada de eso, querida cuñada. Era simplemente el telegrafista. Os he estado escribiendo, pero no me habéis contestado ni a una de las cartas. Sois unos desagradecidos.

—¿Escribiendo? Aquí no hemos recibido ninguna carta —se excusó mamá.

—Cada dos días os escribía unas líneas contándoos cómo era la vida en aquella guerra; a qué hora nos levantábamos; qué comíamos; cómo pasábamos las horas muertas; cómo transformábamos el pan duro en blando; cómo rebuscábamos en los charcos pepitas de oro; cómo conseguimos cazar un chimpancé que hablaba tres idiomas; cómo Verrugato fabricó con un montón de chatarra vieja una gallina que ponía huevos de dos yemas; cómo Coltorti desactivaba las bombas enemigas; cómo Pomarancio, Tempesta, Ze Carioca, hombres que no le tenían miedo a nada, consiguieron fabricar una nube; cómo se infiltraron en una base enemiga y robaron un informe *top secret*...

—¿No serían unas cartas que estaban llenas de cientos de rayas y puntos? —le preguntó mamá.

—Punto, raya, punto, punto, raya, punto, punto, punto, raya... —contestó mi tío.

—Eh, eh —le paró mamá.

—Quiero decir que afirmativo; que sí; que punto, punto, punto —contestó mi tío remangándose la camisa, dejando a la vista una cicatriz en el antebrazo; una cicatriz que iba desde la muñeca hasta casi el pliegue de la parte interior del codo.

—¿Y esa cicatriz? —le pregunté, pensando que tal vez el enemigo lo había torturado hasta sacarle un secreto valioso.

—Ah, esta cicatriz. No es nada. La gallina que fabricó Verrugato... —me contestó. Y miró para otro lado.

—¿Qué pasa con la gallina que fabricó Verrugato? —le pregunté.

—Que se llamaba Vaucanson.

—No, no me refiero a eso. Quiero saber qué tiene que ver la gallina con esa cicatriz tuya.

—No me gusta recordarlo, no me salen las palabras...

—Por favor, tío Fermín.

—Está bien. Verrugato decía que aquella gallina no tenía truco, que había inventado una autómata tan real que casi resultaba imposible diferenciar una gallina trigueña de corral de aquel artefacto que se paseaba por delante de nosotros como si la guerra hubiese acabado tres años antes. Un reloj también es un autómata, pero solo da la hora. Vaucanson, en cambio, nos daba aquellos huevos de dos yemas que nos mantenían orgánicamente vivos. Vaucanson comía, defecaba, ponía huevos y era inmune a las balas del enemigo. Cada mañana, al salir el sol, uno de nosotros tenía que ir a recoger los huevos que había puesto Vaucanson. Y aquello era más peligroso que un peluquero con hipo, más peligroso que atravesar un campo de minas...

—¿De minas de lápiz?

—Qué minas de lápiz ni qué ocho cuartos. Un campo de minas terrestres... Esos artefactos que se ocultan bajo tierra y que si los pisas, ¡puuum!, te explotan, ¿lo entiendes?

—Sí —mentí.

—Como te decía: coger aquellos huevos era tremendamente peligroso. Había gente que no dormía en toda la noche pensando en que lo primero que tenía que hacer al levantarse era

ir a recoger los huevos y enfrentarse a la maldita gallina metálica. A Ze Carioca le arrancó el dedo gordo del pie de un picotazo. Al propio Verrugato le saltó sobre la cabeza y le arrancó de raíz un buen pedazo de su cuero cabelludo. A mí... bueno... ya lo puedes ver. Fue terrible. Creo que si no llega intervenir Ze Carioca me quedó sin brazo...

—Este cuñado... —dijo mi madre, negando con la cabeza. Abrió la nevera y se puso a ordenar los huevos de mayor a menor.

6

Mi tío Fermín estuvo en casa hasta el día en el que regresó papá. Fueron casi dos días en los que tan pronto estaba dentro de casa arrimado a la estufa de leña como fuera, en nuestro pequeño jardín, haciendo muñecos de nieve. Mamá no me dejó salir, ya que, seguro, pillaba un enfriamiento a los que tanto era y soy propenso. ¡Aaaachís! ¿Qué os decía? Así que me tenía que contentar mirando por la ventana cómo mi tío avanzaba en su tarea de construir muñecos de nieve. Primero hizo un muñeco; luego, otro; otro; otro. Total: cuatro muñecos de nieve ordenados de mayor a menor. Parecían esas muñecas rusas que puedes meter una dentro de otra. Matrioskas, creo que se les llama. Pues bien, mi tío Fermín construyó cuatro muñecos de nieve perfectos. Solo se diferenciaban por el tamaño y por la nariz.

En el más pequeño puso un rábano; en el siguiente, la clásica zanahoria; en el siguiente, un pepino y en el más grande colocó un calabacín que él mismo había comprado en el mercado de abastos.

—¿Qué te parecen? —me preguntó, frotándose la manos, casi temblando, dentro de casa.

—Me gustan mucho.

—Si Verrugato estuviese aquí, seguro que hubiese fabricado un muñeco de nieve capaz de saludar, hablar, ir a comprar el pan, la leche...

—Montar en bicicleta... —añadí.

—Patinar sobre el hielo...

—Jugar al baloncesto, al fútbol...

—Soltar tacos, piropear a las chicas guapas, preparar tostadas sin que se le quemasen...

—¿Por qué los has hecho así? —le pregunté.

—¿Cómo así?

—Sin bufanda y de menor a mayor.

—Odio las bufandas de lana. Tu abuela me obligaba a salir a la calle con bufanda. Incluso en verano. Las odio.

—Y de menor a mayor. ¿Por qué?

—Soy una persona estructurada, metódica, analítica...

—Quieres decir que tienes tus manías, ¿no?

—En cierto modo... sí. Sí —me contestó. Y se acercó al cristal de la ventana, aproximó su boca y sopló suavemente hasta que el vaho empañó el cristal. Con el dedo índice dibujó los cuatro muñecos que había fuera, en el jardín. De menor a mayor. Sin bufanda.

—Dime un número del uno al cuatro —me dijo, sin girar la cabeza, sin ver cómo yo separaba mis labios

—¡El tres!

—¿El tres? ¿Seguro? —insistió.

—Seguro, tío.

—El tres es un número impar, primo..., en la civilización maya se representaba mediante tres puntos; los romanos utilizaban tres rayas verticales, y los chinos, tres rayas horizontales. Tres eran las carabelas que viajaban junto con Cristóbal Colón, tres eran los hombres que iban en el Apolo XI camino de la Luna...

—Tres son los Reyes Magos...

—También. Y los mosqueteros.

—No, los mosqueteros son cuatro: Athos, Porthos, Aramis y D'Artagnan.

—Bueno, sí. Llevas razón. Qué sobrino tan... tan...

—Estructurado, metódico, analítico... —le interrumpí, soltando aquellas palabras que se me habían quedado grabadas.

Y me encogí de hombros.

—O sea que el tres —dijo mi tío rodeando con un círculo sobre el cristal el muñeco que hacía el número tres—. Los muñecos uno, dos y cuatro se fundirán esta misma tarde. El que has elegido seguirá congelado hasta mi próxima visita. Y no pienso volver hasta dentro de unos cuantos meses, ¿qué te parece?

—Me parece imposible.

—Qué poco confías en la palabra de tu tío. No abrí la boca.

—Y si te digo que dentro de tres minutos exactos tu padre estará de vuelta y abrirá la puerta.

—Lo estás viendo por la ventana —me quejé.

—Nada de eso, Sherlock Holmes. Tú mismo lo puedes comprobar.

—Me fío de ti. ¿Cuándo empieza la cuenta atrás? —le pregunté.

Y los dos miramos al reloj de cocina. Un reloj redondo, negro, con los números árabes en blanco, la aguja segundera de color rojo avanzando segundo a segundo. Implacable.

—¡Ya mismo! —dijo mi tío.

Tres minutos de tiempo añadido. Como cuando estás solo delante del portero y nadie te pasa la pelota, como cuando esperas el autobús y no llega, como cuando los anuncios publicitarios se alargan y alargan, y alargan...

Tres, dos, uno, cero.

Y se oyeron las llaves de papá entrar en la cerradura. Mi tío Fermín, mientras, se había escondido detrás de la puerta de la cocina.

—¡Familia, ya estoy aquí! Vengo cargado de regalos —nos saludo papá desde el pasillo. Y entró en la cocina, todavía con el abrigo en la mano. Atravesó la puerta.

—¡Uuuuuuuuh! —le asustó mi tío, como si de un niño pequeño se tratara, como si todavía le costase mantenerse en equilibrio.

Papá retrocedió asustado. El abrigo cayó sobre el suelo. Papá giró la cabeza y vio a mi tío.

—Este hermano mío... —dijo y acudió a mi encuentro.

7

A la mañana siguiente, mi tío había vuelto a desaparecer de la casa.

Abrí la puerta y salí un momento al jardín. Un golpe de frío me pegó en la cara. De los cuatro muñecos de nieve solo quedaba en pie el número tres, el del pepino por nariz. Los otros habían desaparecido. No sé si en la tarde anterior, como había dicho mi tío, o por la noche a la luz de la luna. El caso es que no estaban. Solo seguía en pie el número tres. Y allí que continuó un día, dos, tres... Se convirtió en el guardián de nuestra casa. Parecía uno de esos guardianes sosos, aburridos que vigilan el palacio de Buckingham. Los pájaros se paraban sobre él y gorjeaban contentos. Los más curiosos picoteaban sobre el pepino a ver qué era aquello. Cuatro, cinco días... Al sexto día, todavía estábamos desayunando tranquilamente cuando nuestro vecino de enfrente golpeó la puerta.

—Buenos días, señor Peluca —le saludó mi padre, con la servilleta de tela sobre el hombro.

—Buenos días, vecino. Y si no le importa mi apellido es: De-lu-ca.

—¿En qué puedo ayudarle? —le preguntó papá, gentilmente.

El vecino giró la cabeza y señaló al muñeco.

—¿Se puede saber qué es eso?

Mi padre se rascó la cabeza, como sin terminar de entender aquella pregunta tan simple. Le invitó a pasar dentro y contestó:

—Un muñeco de nieve.

—Que es un muñeco lo sé, ¡pero de nieve! —dijo el vecino elevando el tono de sus palabras. La garganta tensa—. ¿Me quiere explicar por qué si es de nieve todavía no se ha derretido? Sabe… mi hija no puede dormir con ese maldito muñeco de… de… de lo que sea ahí, todavía en pie. Le da angustia, miedo, terror, pánico. Dice que su maldito muñeco se asoma todas las noches a su ventana, que pega la nariz…

—El pepino —le interrumpió mi padre.

—…

—El pepino, que la nariz del muñeco de nieve es un pepino. *Cucumis sativus*, de la familia de las cucurbitáceas...

—De la familia de usted. Esto no es ninguna clase de horticultura, vecino. Le exijo que retire, inmediatamente, ese muñeco, o me veré obligado a llamar a la Policía.

—¿A la Policía?

—¡Eso he dicho! ¡A la Policía! Como no desaparezca ese muñeco de... de... «lo-que-sea» antes del mediodía lo denunciaré. ¿Entendido? —su frente se arrugaba con cada palabra, la nuez se le transformó en un huevo de emú.

—Veré lo que puedo hacer. Pero como usted comprenderá, señor Peluca...

—¡Deluca! ¡Deluca! ¡Con «d», maldita sea!

—Disculpe, señor Deluca..., pero no está en mi mano fundir un muñeco de nieve. Más bien es cosa del astro Sol —le dijo mi padre señalando a través de la ventana una nube gris.

—Y además... —empezó a decir el vecino de enfrente.

—¿Además?

—Además, se parece un montón a mi jefe. ¡Y odio a mi jefe! —tronó, y se le hincharon las venas del cuello.

El vecino le dio la espalda a papá y se volvió a su casa. Pasó al lado del muñeco y le propinó una patada a la altura de la espinilla (si es que los muñecos de nieve tienen espinilla). A mi vecino se le dobló el pie.

—¡Aaaaaaay, aaay, aaay!

Por lo menos se le había roto un dedo. Algún metatarsiano, prusiano o algo. Pero seguro que algo se había fracturado.

—¡Aaaaaaay, aaay, aaay!

Papá se volvió a sentar en la silla, serio, y se llevó la taza de café a la boca.

—Vaya, ya se me ha quedado frío —se quejó.

—Déjame que te lo caliente —dijo mamá.

—No, mejor será que calentemos ese muñeco.

8

Las palabras de mi tío habían sido ciertas: el muñeco de nieve siguió en pie hasta que él regresó. El jardín estaba todavía salpicado por las gotas del rocío. Algunos dientes de león asomaban en las orillas. En la calle, dos vecinas vociferaban y discutían. Al parecer, la disputa tenía que ver con asuntos domésticos. Los gritos llegaban hasta nuestra puerta.

—Hay que ver esas dos gordas lo que gritan. Se ve que están faltas de desahogo —dijo mi tío Fermín—. Ah, ya veo que el muñeco número tres sigue intacto. Bueno, el pepino casi ha desaparecido, pero...

—Pero menuda la que se montó, tío —le dije.

—Cuenta, cuenta. Aunque mejor, antes de que me cuentes, veamos cómo se funde. Creo que le ha llegado el momento.

Se hizo el silencio en la calle. Las dos mujeres ya habían hecho las paces y se abrazaban como hermanas. Nos acercamos al muñeco y mi tío le saludó cordialmente, como si enfrente tuviese a un alto cargo del Gobierno, un ministro o algo así.

—¡Buenos días, su excelencia! ¿Cómo dice que le ha ido en este período de tiempo? Ah, eso está muy bien. Yo aproveché para aprender un poco de italiano. Escuche, escuche: *Friddo 'a matina, che spaccava l'ogne*. Qué me dice. Ah, que parezco un napolitano más. Que qué significa. No me diga que no sabe usted italiano. Pero hombre… Hagamos un trato. Usted se funde y yo le descifro. Pero antes de evaporarse, dígame, qué tal se ha portado mi sobrino preferido. Que muy bien, claro, no podía ser de otra manera. Sí, será sin duda un sobrino de provecho. ¿Y usted? ¡Que se ha enamorado! Felicidades, amigo. No me diga que ha encontrado a su «media zanahoria», quiero decir, a su «medio pepino». ¿Y quién es la afortunada si se pude saber? ¡Guau! No, no me cuente nada más. Dejémoslo en este punto. Sí, todo se acaba. Ha sido un placer conocerlo. Sí, le traduzco mis palabras: Frío por las mañanas que te rompe las uñas.

Y el muñeco empezó a fundirse. Un charco comenzó a dibujarse en el suelo. El agua se escoraba hasta el manzano, el único árbol que teníamos en el jardín. Poco a poco no quedó nada del muñeco. Bueno, sí. Los dos botones que había utilizado como ojos y el pepino picoteado por los pájaros. Lo que nadie había conseguido en todo ese tiempo, mi tío lo había logrado en un periquete. El charco se iba haciendo cada vez más grande. Nuestros reflejos sobre el agua. No sé por qué levanté la vista y miré en dirección a la ventana de la hija del vecino gruñón. Una sombra desapareció de manera rápida. Quedó el lento vaivén de los visillos.

—Cuidado, que no se te mojen los zapatos —me alertó mi tío.

Me agaché, cogí los dos botones y me los metí en el bolsillo.

—*Buttunari* —dijo mi tío, y me miró algo severo.

—Los guardo para el año que viene —le dije.

—A saber dónde estaremos el año que viene. Pero… pero cuenta, cuéntame lo del muñeco —me pidió, revolviéndome el pelo con la mano.

Y la idea de contarle una historia a mi tío me hizo cosquillas en el estómago. Sentí una nube de mariposas por dentro. Me subió un escalofrío cuando abrí la boca. Y comencé a contarle:

—A la mañana siguiente, sin haberte despedido, ya habías desaparecido. En el jardín de casa no quedaba más que un muñeco de nieve: el número tres. Pasaban los días y el muñeco seguía allí. Nadie se explicaba cómo era posible que aquello no se hubiese derretido. Al sexto día de haberte marchado, el vecino de enfrente, muy enfadado, se presentó en casa y le pidió a papá que derritiese el muñeco. Aseguraba que su hija no podía dormir; que el muñeco trepaba por la cañería de la fachada hasta alcanzar la ventana del dormitorio de su hija, luego se quedaba mirando el interior como un pasmarote.

—¿Y qué hizo tu padre? —quiso saber mi tío.

—Calentó una sopera grande de agua y la dejó caer sobre la cabeza del muñeco. Pero nada. El agua…

—El agua resbaló como resbala la lava por la ladera de un volcán, ¿me equivoco?

—No, no te equivocas. Sucedió como dices. El vecino nos había dado de plazo hasta el mediodía para destruir el muñeco, si no, llamaría a la Policía.

—¡A la Policía, a la Policía! ¡Ja, ja...! —rio mi tío—. ¡Qué cosa más ridícula, por Dios! En la vida he escuchado nada igual. ¡Ja, ja, ja! Sigue, sigue...

—Papá pensó que tal vez con la sierra de cortar los leños podría serrar al muñeco en pedazos...

—¡Qué barbaridad!

—Pero la sierra se escurría. No cortaba ni un tanto así. Papá se acordó de ti en varias ocasiones. No sé qué habló de una bomba.

—Este hermano mayor siempre tan... tan...

—Metódico, analítico...

—No, para nada. Tan radical.

—A las doce en punto un coche de Policía se detuvo enfrente de nuestra casa.

—¿Sonaba la sirena?

—No, no. Solo se veían las luces girando. Del coche se bajaron dos tipos. Uno muy alto y otro muy bajo. Con dos como el bajo se podía haber hecho el alto. Parecían sacados de una película americana. Sus pistolas descansaban en sus fundas. Abrieron la puerta del jardín y se quedaron mirando al muñeco.

Algo le debieron de preguntar, pero el muñeco no les contestó. Papá salió a su encuentro...

—Ah, no sigas. Ya me lo imagino todo —me interrumpió mi tío.

—¿Ya no quieres escuchar más? —le dije, o me quejé.

—Me lo estoy imaginando:

»—¿Es suyo este muñeco? —le preguntó el *poli* bajo, un poco más bajo que el muñeco.

»—Mío, mío, lo que se dice mío... Cuando llegué a casa, el muñeco ya estaba allí —le respondió tu padre.

»—¿De eso cuánto hace? —le preguntó el alto, pestañeando.

»—Déjeme pensar. Casi cuatro meses.

»—¡Me quiere decir que han pasado cuatro meses y todavía no se ha derretido! —dijo el alto. Y tu padre se encogió de hombros. Entonces, saliste tú y te quedaste pegado a tu padre.

»—¿Lo construyó él? —preguntó el bajo, mirándote a los ojos.

»—¿Fue él? —añadió el alto, llevándose las manos a las esposas.

»—No, no. Lo construyó mi hermano —contestó tu padre.

»—¿Y dónde está su hermano? —preguntó el bajo. Tu padre se encogió de hombros.

»—Le ha preguntado mi compañero que dónde está su hermano —dijo el alto.

»—Es difícil de saber. Está, no está... Es más fácil encontrar una aguja en un pajar que saber dónde está —contestó tu padre, forzando una sonrisa.

»—Su vecino asegura que el muñeco acosa a su hija, que no la deja dormir por las noches —dijo el bajo.

»—Su vecino afirma que ha visto trepar al muñeco por las cañerías de la casa —añadió el alto.

»—Nos lo tendremos que llevar esposado —afirmó el bajo.

»—No va a quedar más remedio —habló el alto.

»—Lo fundiremos a preguntas en la comisaría —dijo el bajo.

»—Sí, tenemos nuestros métodos —dijo el alto.

»—Le aplicaremos sin escrúpulos la legislación, Vicente —dijo el bajo.

»—¿Será vigente? —cuestionó el alto.

»—Como tú digas, Vicente —afirmó el bajo.

Mi tío se rascó la cabeza.

—Y los policías se llevaron al muñeco detenido. La hija del vecino siguió sin poder dormir y a los dos días los policías estaban de vuelta con el muñeco. Ni una pizca de nieve menos de cuando lo habían metido, esposado, en el coche policial. Tu madre salió a abrirles la puerta mientras tú mirabas por la ventana. Los dos policías, el alto y el bajo, dejaron el muñeco en el mismo lugar donde lo habían encontrado y siguieron su camino, como si tal cosa. ¿Me equivoco? —me preguntó mi tío.

Yo le miraba sin pestañear, sorprendido por sus palabras.

—Solo en una cosa —le contesté.

—Si solo es una vamos bien. Dime.

—Mamá invitó a los policías a café.

—Sí, tu madre tiene esos detalles. Cuéntame.

—Los dos entraron, se sentaron y se tomaron el café en silencio, sin decir nada. Solo habló mamá. ¿Una o dos cucharadas de azúcar?, ¿un poco más de leche?, y esas cosas. Los *polis* se tomaron el café en silencio y le dieron las gracias a mamá. Primero el bajo, luego el alto. Antes de salir por la puerta, el bajo me preguntó: «¿A que lo del dichoso muñeco es cosa

tuya?». Negué con la cabeza. «¿Lo ves? Lo
que yo te decía», dijo el otro tirando de la
manga de su compañero. Y desaparecieron. El
bajo se agachó al ver una margarita y la desho-
jó. Sí, no, sí, no...

9

Cuando llegó aquel verano, había crecido un palmo. Cuando llegó el cartero, le abrí la puerta.

—Buenos días —me saludó—, para ti —me dijo ofreciéndome una carta.

—¿Para mí?

—Sí, eso he dicho —me respondió con indiferencia. Y miró hacia el otro lado—. Oye, ¿no teníais ahí un muñeco de nieve?

—Lo hemos vendido.

—¿Lo habéis vendido?

—Eso he dicho —le contesté. Y me metí dentro de casa.

Era la primera carta que recibía en mi vida. El sobre era de esos engomados, totalmente blanco, sin sellos, solo con el matasellos oficial. Le faltaba tinta al matasellos y no se podía ver bien dónde había echado aquella carta mi tío. Porque era suya. Me encaminé a la cocina, descorrí los visillos para que entrase algo más de luz y me senté en una banqueta.

—¿Es para ti? —me preguntó mamá.

Afirmé con la cabeza.

—Me sorprende —me pareció oírle decir. Y se acercó lo justo para saber quién era el remitente.

—Es del tío Fermín. Igual me manda el plano de un tesoro pirata —dije, esforzándome en no parecer demasiado nervioso.

—O un vale descuento para una hamburguesería sin fecha de caducidad —dijo mamá.

Abrió el frigorífico y sacó la botella de limonada. Llenó dos vasos y dejó uno junto a mí. Con el otro en la mano, silbando una vieja melodía, salió de la cocina. Me quedé solo. Con el sobre frente a frente.

Abrí el cajón de los cubiertos y saqué un cuchillo de punta roma para abrir la carta. Poco a poco, con mucho cuidado, despegué el faldón del reverso. Me resultó sencillo. Mi tío había utilizado menos saliva de la habitual en él. Puse el sobre boca abajo, lo ahuequé y saqué lo que había dentro: una fotografía. La foto estaba hecha dentro del mar. Imagino que con alguna cámara de esas especiales, sumergible y esas cosas. El agua, algo verdusca, calma, transparente. Anémonas de pequeños tentáculos, madréporas y otros corales adornando una pequeña porción de arrecife de coral. En la esquina inferior derecha se podía casi tocar un alga que extendía sus ramas como tejidos de un sistema nervioso. En la parte inferior no se veía el fondo del mar y, entre escamas de sirenas, plumas de mar y partículas de polvo, aparecía la cola de algún ser primitivo todavía por descubrir. Casi se podía escuchar el ruido del mar por dentro. Y llenando la foto, de norte a sur, de este a oeste: un caballito de mar de piel quebradiza, naranja fluorescente, con la cola enroscada, como si supiese que debía enrollarla para que no quedase fuera de la imagen. Su ondulante aleta dorsal detenida en el tiempo por la cámara del fotógrafo. El hipocampo más bonito que había visto en toda mi vida.

Le di la vuelta a la foto. Escrita con tinta negra, la inconfundible letra apretada de mi tío Fermín.

Leí:

Es para ti.

Te lo guardo en la bañera de mi casa.

Lo rescaté de dentro de una sopera de barro de una vieja botica. Al parecer, es costumbre en las tierras lejanas de Oriente utilizar a los hipocampos para pócimas infalibles. Junto con el rabo seco de una salamandra, dos colmillos de pez ballesta, tres uñas de gárgola y unas gotas de jarabe de rama de árbol, los más expertos embaucadores consiguen un brebaje capaz de hacer invisibles a las personas.

¿A que no me ves en la foto?

Prometo verte pronto. Y tú a mí.

Un beso, tu tío preferido.

10

—¿Qué haces ahí, dentro del armario? —le preguntó mamá a mi tío Fermín al abrir la puerta.

—Estoy escondido —le contestó en voz baja.

—Que estás escondido ya lo veo, pero de qué te escondes.

—De tu hijo. Le quiero dar una sorpresa.

—Pues me la has dado a mí.

—Lo siento. No era mi intención asustarte.

—¿Cuántas horas llevas ahí dentro?

—¡Horas! Llevo días, cuñada.

—¡Me quieres decir que has pasado la noche dentro del armario!

—Sí.

—Me quieres decir que...

—Sí. Por cierto, tengo los pulmones llenos de naftalina. Necesitaré desahogarme.

—Me lo imagino.

—A propósito, he visto cómo una *Tinea pellionella,* o polilla de la ropa, se metía dentro de uno de los bolsillos de tu traje pantalón.

—¿En el azul tormenta o en el negro crepé?

—No lo sé. Aquí está todo muy oscuro. Pero no te preocupes. He seguido su silbido y...

—¿Y?

—Adiós polilla. Era una cosa así de ala a ala.

—Muchas gracias, Fermín. ¿Llevas idea de quedarte mucho tiempo ahí dentro?

—No, ahora que me has descubierto, no tiene sentido que siga aquí. Me hubiese gustado darle un buen susto a mi sobrino...

—Aún estás a tiempo. Sigue dormido. Te da tiempo a subir a su habitación.

—¿Tú crees que será posible meterme dentro de su armario?

—Cosas más raras se han visto. ¿No tenías un amigo que giraba la cabeza no sé cuántos grados? Pues tú intenta doblar bien el esternón y ya está —le contestó mamá.

Me tuve que tapar la boca con la mano para no soltar una carcajada. Lo estaba escuchando todo a través de la puerta entreabierta de la habitación de mis padres. Abandoné mi posición de espía y, con las zapatillas en la mano, subí las escaleras al ritmo de los latidos de mi corazón. Aún con todo, le escuché decir a mi tío: «¿Has oído eso? Debe de haber algún ratón por el pasillo». Mamá le contestó algo, pero ya me pilló en la puerta de mi habitación. Entré y me escondí dentro de mi armario, entre las camisas, los pantalones, las chaquetas, las cazadoras de invierno. Agazapado. Esperando el momento de saltar sobre la presa.

Dentro olía a flores, a suavizante. Me imaginé un osezno dentro de la cueva esperando a que llegase su madre. Pero quien tenía que abrir la puerta era mi tío Fermín. Mi tío, que tardaba más de lo normal, más de lo previsto en subir aquellos peldaños, entrar en mi habitación y abrir la puerta del armario. Me llegó el olor del café recién hecho. Solo se oía mi respiración y el crujido de mis articulaciones. Todo extraordinariamente tranquilo. Acurrucado. Relajado. ¿Cuánto tiempo llevaba dentro? ¿Cuánto me faltaba por esperar? Los párpados cada vez más pesados. Y el olor dulzón del suavizante que... Me quedé dormido. Zzzzzz.

—Hola, tío Fermín —dije al despertarme.

—¿Cómo sabe usted que soy su tío? —me preguntó el bulto que estaba a mi lado, dentro

del armario, tratándome de usted—. Aquí está todo oscuro. Podría ser perfectamente un bandido mexicano, o un jefe apache renegado, o un gángster que busca venganza, o un mafioso contrabandista, o un matón a sueldo…

—O el jefe de la banda de los Cuarenta Ladrones —dije.

—Y usted Alí Babá, ¿no? —me preguntó el bulto.

—No, yo soy tu sobrino.

—¿Mi sobrino? Mi sobrino nunca se escondería dentro de un armario.

—Tampoco mi tío.

Ambos nos callamos. Mi tío no pudo aguantar más y comenzó a reír como un conejo loco. Yo, también.

—¡Ay, este esternón! Para mí que me lo he roto por tres partes —se quejó—. Anda salgamos de aquí y demos un paseo por el parque. Te invito a un helado de menta y chocolate.

—¿Y no puede ser de chocolate y menta?

—Si te empeñas… Que me han dicho que has crecido medio metro…

—Casi. Un palmo más o menos.

—¡Anda, salgamos a verlo! ¡Ay!

11

—No me digas que te has olvidado el caballito —le dije a mi tío, ya fuera del armario, fuera de casa, con un cucurucho de chocolate y menta en la mano.

—Hubiese estado bien haber venido montado a caballo, pero esta vez viajé en tren. Un tren-hotel estupendo. Una habitación rodante para mí solo.

—Me refiero al hipocampo, al caballito de mar que me mandaste en aquella carta.

—¡Aah! La foto, claro... Mira aquella nube, parece un sello de correos.

—No me cambies de tema, tío. ¿Por qué no me has traído el caballito de mar?

—Se escapó... El caballito se escapó.

—¿Se escapó? ¿Por dónde?

—¿Por dónde? Por el desagüe. Tubería abajo.

—…

—Es una historia muy larga y algo des-
agradable. No creo que te interese. Entonces,
no vivía solo.

—¡Vivías con una novia!

—¡Qué dices! Quiero decir que en aquel
apartamento de las afueras de Ipswich, vivía
junto a un loro muy listo. Bueno, no era un
loro exactamente.

—Era un papagayo.

—No.

—¿Un guacamayo?

—Que no, que no. Era… era… no sé decirte
muy bien. Tenía un pico curvo, una cresta de plumas eréctiles en la cabeza, las alas repletas de
colores. Se llamaba Arcoiris y sabía hablar igual
que una persona. Lo compré en un mercado am-
bulante repleto de mercancías. El chino aquel
vendía de todo: alcachofas, coliflores, guisantes
secos, caracoles, manguitos, abrazaderas, rollos
de cuerda, barreños de cinc, platos hondos, sal-
seras, mangos de sartenes, encajes, incienso de
Arabia, cheques sin fondo, peldaños de escaleras, pasadizos abovedados, rincones de casas…

—Vale, vale. No es necesario que me digas
todo lo que vendía aquel hombre —le interrumpí.

—Me aseguró que el loro no era de los que hablaban, al contrario: era de los que escuchaban. Por eso se lo compré. Pero al llegar a casa, al dejarlo libre por la cocina, Arcoiris comenzó a hablar y hablar. Parecía un locutor de la BBC. Estuve a punto de devolverlo al chino aquel, pero me hizo gracia tanta palabrería. Arcoiris me preguntó cómo me llamaba, si me gustaba la ópera, la pizza margarita, a qué hora se servía la cena en aquella casa y si en la nevera había yogures bífidus activos. Yo ya sabía que no había ningún yogur. «Míralo tú mismo. Mientras, me doy una ducha», le dije. Aleteó y se acercó al frigorífico, lo abrió con el pico y, suspendido en el aire, miró en el interior. La puerta, de improviso, se cerró y el loro se quedó dentro. Yo no lo pude ver, pero cuando regresé a la cocina y no lo vi me imaginé lo peor. Abrí la puerta de la nevera y allí estaba, medio congelado, más frío que la pata de un pingüino. Las alas habían comenzado a cambiar de color. Lo cogí, lo saqué y lo metí en el microondas. No sé… se me ocurrió sobre la marcha. Ahora puede parecer una idea descabellada, pero en aquel momento… No sé qué fue peor, si el remedio o la enfermedad. Lo saqué mareado. Comenzó a vomitar y devolvió un saco de pipas de girasol ya peladas. Poco a poco fue recobrando la conciencia.

»—¡Casi me matas, *tontoelhigo*! —me dijo, o me gritó.

»—Pero si te he salvado la vida de morir congelado —le contesté muy sorprendido por su reacción.

»—Sí, claro. He dado más vueltas que un tiovivo, pero por lo demás... Menos mal que soy de una familia de vida casi eterna —me contestó ya totalmente restablecido, sin nombrar la familia de donde procedía. Pero, como te he dicho antes, Arcoiris era muy inteligente. No solo sabía hablar como una persona, también sabía leer.

—¿Leer? ¿Sabía leer? —le pregunté a mi tío sorprendido.

—Sí, no me mires así. No sé dónde diablos habría aprendido, pero leía. Leyó el reverso de la foto que te mandé y le cogió al caballito una manía enfermiza. Más que manía: celos. Cierto día que me descuidé, lo sorprendí rondando la bañera. Arcoiris se puso muy nervioso, le temblaba el pico y no le salían las palabras. Tuve que comprar una pecera de esas redondas para meter dentro el hipocampo y llevármelo conmigo cada vez que tenía que salir de casa. No podía arriesgarme a dejarlo solo dentro del apartamento. Era tu regalo. Pero poco antes de venir para acá... *I was in such a rush I forgot...*

—¿Cómo dices?

—Ah, perdón. Por un momento pensé que todavía estaba en aquella ciudad, la más antigua de toda Inglaterra, habitada desde tiempos de los sajones... El caso es que con las prisas se me olvidó meter al caballito en la pecera. Salí de casa con la pecera al hombro, pero vacía. Quiero decir con el agua, pero sin el hipocampo. La gente me miraba sorprendida. Cuando me di cuenta de mi error, cuando regresé corriendo a casa, cuando abrí la puerta, cuando entré directamente en el cuarto de baño, cuando vi la bañera vacía, cuando vi el tapón suelto, cuando vi la punta de su cola naranja desaparecer por el desagüe, cuando vi aquella sonrisa dibujada en el pico del loro o lo que fuese..., ya era demasiado tarde. Me pasé despierto toda la noche, pensando qué hacer con Arcoiris. Si meterlo dentro del frigorífico, si meterlo dentro del microondas... Al final, vacié la pecera de agua, lo metí dentro y se lo devolví al chino que me lo había vendido. No le pedí que me devolviese el dinero. Pero el

chino no lo aceptó como regalo así como así.
Tuve que negociar. Al final, me lo cambió por
un par de calcetines y una tortuga. —Mi tío se
metió la mano en uno de los bolsillos del pantalón y sacó algo—. Toma, para ti.

12

Papá y mamá habían salido aquella noche. Había sido el cumpleaños de mamá, y papá la había invitado a uno de esos conciertos aburridos de música clásica. Algo de una importante orquesta sinfónica de una ciudad extranjera. Papá se había puesto su mejor traje y mamá era la mujer más guapa del sistema solar. Papá había sacado de la caja los zapatos de cordones y mamá había abierto su caja joyero. Pocas veces se ponía aquel precioso collar largo larguísimo.

Estábamos solos en casa mi tío y yo. Debía de ser la primera vez que mi tío Fermín hacía de canguro. Habíamos terminado de cenar. A mí no me cabía ni un grano de maíz en el estómago. Estaba lleno.

—Oye, ¿no había un piano en esta casa? —me preguntó mi tío, de buenas a primeras.

—¿Un piano? No, que yo sepa nunca hemos tenido un piano. Además, no creo ni que mamá ni papá sepan tocarlo.

—Pues tu padre estudió Solfeo. Él estudiaba Solfeo y yo acudía a clases de repaso de Matemáticas. Nunca llegué a entender por qué había números primos y no números sobrinos.

Me encogí de hombros.

—Estaba allí, debajo de aquella ventana. El piano, me refiero. Era de esos de pared, sin cola, de madera de nogal, o de caoba, brillante...

—Creo que te equivocas, tío. En esta casa, que yo recuerde, nunca hemos tenido un piano.

—Igual me confundo. Tal vez lo que había en aquella pared era la cabeza de un alce que le obsequiaron a tu padre como regalo de boda. Hay que tener mal gusto, eh.

—No, nunca ha habido tal cosa allí —dije, señalando la pared.

—¡Tampoco! ¡Ah, ya sé lo que había en esa pared! Se trataba de un reloj.

—¿Un cuco?

—Sí, de esos que llevan un péndulo y cada media hora sale un pájaro y canta una melodía.

—No.

—No, ¿qué?

—Pues que tampoco hemos tenido un reloj de pared. Bueno, sí. Hay uno en la cocina, pero es redondo con la aguja segundera de color rojo, y no sale ningún pájaro. Como mucho, sale un mosquito que se haya quedado sobre la moldura redonda. Si te levantas y entras, lo podrás ver tú mismo.

—Ya... ¿Te he contado aquella vez que me atacó uno de esos pájaros?

Negué con la cabeza y me estiré todo lo largo que era en el sofá. Mis tendones de Aquiles sobre sus piernas. Mi tío carraspeó y dijo:

—Creo que ya me había comprado aquel sombrero tipo Indiana Jones. Aquella casa era realmente extraña. Con decirte que tenía dos chimeneas, pero que yo solo pude encontrar una. El reloj aquel estaba apoyado sobre la pared de la chimenea. Debía de pertenecer a los antiguos inquilinos de la casa. Cuando lo dejaron allí, sus razones tendrían. El reloj tenía forma de casa. Las pesas eran dos piñas de madera de pino. Los números eran romanos...

—¿No serían primos? —me atreví a decir. Mi tío no me hizo caso y continuó:

—Las agujas estaban talladas en hueso de ballena. Con una vez que le dieses cuerda, tenías suficiente para que el reloj funcionase dos o tres semanas. Retrasaba un par de minutos y estaba claro que necesitaba una mano de barniz, pero... Cada media hora salía un pajarillo de dentro de la casa de madera y decía «cu-cu, cu-cu». Cada treinta minutos: «cu-cu, cu-cu». Te podías volver loco. Pero aquella noche, a las nueve y media en punto, el pájaro salió y no dijo cu-cu, ni ca-ca, dijo: «Tengo hambre».

—¿Tengo hambre? ¿Eso dijo un pájaro de madera? —dije maravillado, encogiendo las piernas.

—Como te lo digo. No, falto a la verdad. Sus palabras textuales fueron: «Tengo hambre, hambre tengo». Lo dijo y se quedó allí plantado, fuera, mirándome con ojos de asombro. O mejor dicho, mirando la pizza que me acaba de pedir para cenar y que estaba sobre la mesa. Mi fantástica pizza barbacoa con su queso, su maíz, su pollo, sus láminas de champiñón, su salsa, su cebolla picadita. La pizza cortada en raciones pares. Ya tenía una en la boca, ya estaba paladeando la sabrosa masa con su salsa barbacoa, cuando, de repente, el pájaro aquel salió y dijo: «Tengo hambre, hambre tengo». Me zampé el

pedazo que tenía en la mano y cogí otro. Y otro. Y otro… Solo quedaban tres trozos sobre el cartón de la caja portapizza en el momento en el que el pájaro levantó el vuelo y se lanzó sobre la pizza. Por lo menos tuvo la delicadeza de dejarme uno de los trozos. Atrapó dos. No me preguntes cómo lo hizo, pero solo quedó uno sobre el cartón. De su pico colgaba una porción de pizza barbacoa y de ella, la otra porción unida por un finísimo hilo de queso fundido. El pájaro…, valiente pájaro, me había robado dos buenas raciones de pizza. De haber tenido una escopeta allí… O un tirachinas… Ya no volvió a salir de aquella casa de madera. Ni a las diez, ni a las diez y media, ni a las once, ni a las cuatro de la mañana… Ni rastro de animal vertebrado de sangre caliente recubierto de plumas y capaz de volar. Ahora en su lugar, cada media hora, se abre la puerta y sale, algo reseca, una porción de pizza barbacoa dando las horas. Un sector circular de poco más de 30 grados, con su queso, su cebolla, su pollo y sus granos de maíz pegados al queso fundido. Los granos van variando según sea la hora. No me preguntes dónde se habrá metido el maldito pájaro. Cualquier día vuelvo a aquella casa para mirar bien por dentro. Y por fuera.

13

Mi tío se acercó al manzano, alcanzó una rama y cogió una manzana. La limpió con la manga de la camisa y le dio un bocado. Lo masticó sin hacer ruido, mirando fijamente el tronco del árbol. Con la manzana en la mano me dijo:

—Hubo un tiempo en que solo me alimenté de manzanas. Me dijeron que eran estupendas para eliminar una tos seca y constante que me salía de los bronquios. Las probé de todos los tipos: golden, fuji, ambrosia, braeburn, granny smith... Hay más de 7500 variedades. Manzanas, al fin y al cabo. Me harté de ellas y seguía con mis ataques de tos como si tal cosa. Un amigo me habló de un té de saúco milagroso y de pasar el fin de semana practicando la pesca submarina. Así que allí me tenías, en la cocina, sentado en la banqueta, con una taza de té de saúco en la mano, un viernes por la mañana. Sorbía el té y miraba cómo daba vueltas el tambor de la lavadora, cómo la ropa giraba y giraba entre la espuma blanca del jabón. Era seminueva, de carga frontal, de marca japonesa. Más parecía la marca de una moto que la de un simple electrodoméstico. Tenía sus teclas, pero yo nunca las tocaba. Abría la portezuela, metía la ropa sucia, apretaba un botón y a lavar. Sacaba la ropa, la tendía, la recogía, la planchaba, la guardaba, me la ponía, se manchaba, la lavaba...

»Yo estaba enredado en mis pensamientos. No sabía muy bien qué hacer ese fin de semana. Aquel amigo, el que me recomendó el té milagroso, el que me invitó al asunto pesca, me había asegurado que conocía una zona de rompiente donde los peces se podían apresar casi con la mano. Como te puedes imaginar, mis conocimientos en el arte de la pesca submarina eran nulos. Además, ni tenía aletas, ni máscaras, ni guantes, ni traje, ni tubo respirador... Yo no tenía de nada. Bueno, sí, tenía a ese amigo que a su vez tenía de todo, hasta barco.

»Estaba concentrado, reflexionando qué hacer finalmente. Cavilaba si aceptar la invitación o no; miraba distraído cómo la ropa daba vueltas y más vueltas dentro de aquel invento de principios de siglo pasado. Una pequeña gota asomó por la junta del cierre de la puerta. Una gota minúscula que fue resbalando por el frontal de chapa de aluminio lacado. Pensé que justo cuando la gota cayese sobre el suelo, me levantaría de la banqueta con una respuesta y me pondría a barrer la energía negativa de la casa. En eso estaba cuando me pareció ver un bigote dentro de la lavadora. Un bigote tipo Einstein, ya sabes a lo que me refiero. Me quedé paralizado, con la taza de té de saúco en la mano, esperando a que apareciese «aquella visión» nuevamente. Apareció. Apareció el bigote y la cara que lo llevaba. Estupefacto, desconcertado, boquiabierto. Antes, en la primera visión, la pernera de un pantalón me había ocultado aquella imagen. ¡Dentro de la lavadora había alguien! ¡Y parecía estar ahogándose! Me levanté de la banqueta y abrí la puerta de ojo de buey con la intención de sacar a aquel individuo. Estiré el brazo, pero algo tiró de mí hacia dentro, hacia dentro del tambor de la lavadora. En décimas de segundo me encontré sumergido en aquellas aguas jabonosas, buceando entre calcetines, calzoncillos, pantalones, camisas, camisetas..., y el hombre que miraba, sonriendo, con un descaro difícil de superar. Aquel bigote... aquel bigote, era un postizo, no era de verdad. El hombre se arrancó aquella máscara y... y una larga cabellera negra se onduló como algas movidas por la corriente. Se me paralizó el cuerpo. Unos ojos verdes brillaron como brasas. Solo entonces pude ver su cuerpo de sirena. Hermoso. Se me acercó cantando, me cogió de la mano y me dijo: «Ven, no tengas miedo». Y fui. Me dejé llevar. Atravesamos una cueva de infinitas galerías, los rayos de luz penetraban en el agua y se reflejaban en la gravilla vainilla del fondo. Vimos un sinfín de peces multicolores que pululaban indiferentes ante nuestros ojos. Le conté los dientes a una barracuda que se me quedó mirando. Recorrimos los camarotes de un barco hundido por una descomunal tormenta, creo que se trataba del mismísimo barco que utilizo Colón en su segundo viaje al Nuevo Mundo, brindamos en la bodega y descansamos en un jergón algo húmedo... Resultó un fin de semana maravilloso, nunca planeado. Mucho mejor de lo esperado —dijo mi tío.

Y se calló. O dio paso al timbre de la puerta. El timbre sonó dos veces. Salí a abrir.

—Qué raro, no había nadie.

—Habrá sido el viento —me dijo mi tío.

—¿Dos veces?

—Por qué no. Cosas más raras se han visto.

14

Había anochecido. El viento arrastraba las hojas secas calle arriba. Las temperaturas habían bajado de nuevo y había oscurecido antes que otros días. Estábamos los cuatro sentados, cenando. En silencio. De vez en cuando, mis padres intercambiaban miradas sorprendidas por aquel silencio solo roto por el ruido de los cubiertos. Mi tío abrió la boca. Mi padre se sonrió. También mamá.

—Sé que el universo tiene millones de años. Sé que la Tierra es redonda y que gira alrededor del Sol. Sé que el Sol es una estrella enana amarilla de tipo espectral. Sé que la Luna también es redonda y que es el único satélite de nuestro planeta. Sé que las nubes se forman por el enfriamiento del aire. Sé que hay nubes altas, bajas y medias. Sé que hay sitios donde nunca llueve. Sé que hay camellos y dromedarios. Sé que los camellos tienen dos jorobas. Sé que me joroba que me lleven la contraria y que digan que me invento historias casi imposibles. Sé que existe un sombrero que se llama jipijapa. Sé que también se le llama panamá. Sé que en América Central hay un gran canal. Sé que las nutrias son grandes nadadoras y que pueden cerrar sus fosas nasales bajo el agua, también sé que son de la familia de los mustélidos. Sé que vosotros sois mi familia, que tú eres mi hermano, que tú eres mi cuñada y que tú eres mi sobrino. También sé que el esqueleto humano está constituido por 206 huesos que sostienen, protegen y dan forma al cuerpo.

—Vaya, estás muy reflexivo —le cortó papá.

—Por favor, hermano, no me interrumpas. Sé que cuando camino, desgasto más la suela de los zapatos por un lado que por el otro. Sé cuál es mi canción, mi color, ni número favorito. Sé cuál es mi sobrino preferido —aquí mi tío hizo una pausa, metió la cuchara en el plato, la llenó y se la llevó a la boca—. ¡Uuuhh! Sé que esta sopa de marisco que me estoy llevando a la boca está hecha con rape, almejas, calamares, gambas... Sé que está buenísima y que me comería dos platos. Sé que en Bérgamo, mañana, un señor muy feo desayunará once manzanas, doce pavías y trece paraguayos. O que en Innsbruck, una señora alta, de larga melena, de cutis pálido, un poco pecosa, pondrá la mesa con todo el esmero del mundo con pan de Viena, huevos semihervidos, mantequilla, mermelada, miel, zumo de frutas, chocolate caliente... Lo sé. También sé que me voy de viaje nuevamente. No sé adónde, si al hemisferio norte rico y desarrollado, o al hemisferio sur o austral. Y sé que nos volveremos a ver. O no.

Dijo esto y siguió llevándose cucharadas de sopa a la boca hasta que ya no quedó más sopa. Se levantó, llevó el plato y la cuchara al fregadero. Se volvió, me dio un beso en la cabeza y subió a su dormitorio lentamente, sin probar los gofres con nata batida que mamá había hecho de postre.

—Buenas noches —dijo desde las escalera—. Sed felices, que no es poco.

Índice